This book belongs to:

_____

_____

For Team McCallum:
Ben, Toby, Ella and Charlie.

Mantra Lingua
Global House
303 Ballards Lane
London, N12 8NP
www.mantralingua.com

Dzień sportu w dżungli

Sports Day in the Jungle

Jill Newton

Polish translation by Jolanta Starek-Corile

Zbliżał się czas zawodów sportowych w dżungli i każde zwierzę było zajęte trenowaniem. No cóż, *prawie* każde zwierzę.

It was nearly time for the jungle games, and every animal was busy practising.

Well, *almost* every animal.

Leniwiec powoli przyglądał się tym przygotowaniom ze swojej gałęzi. Sam nie był zbytnio ruchliwy.

Sloth slowly watched from his branch. He didn't move very much.

Małpka skoczyła z gałęzi.
– Spójrz na mnie, Leniwcu! Spróbuj mnie złapać!

Monkey swung past.
"Look at me, Sloth! Try and catch me!"

Leniwiec przyglądał się Małpce znikającej za drzewami…

i westchnął.

Sloth watched Monkey disappear into the trees…

and sighed.

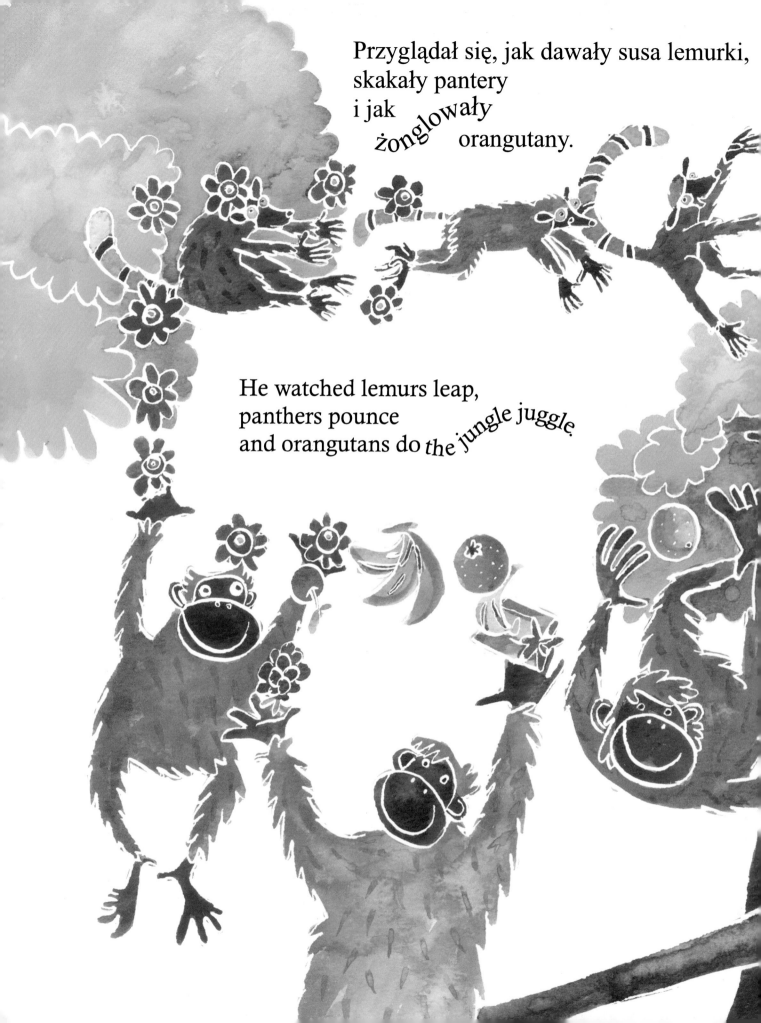

Przyglądał się, jak dawały susa lemurki,
skakały pantery
i jak
żonglowały orangutany.

He watched lemurs leap,
panthers pounce
and orangutans do the jungle juggle.

I Leniwiec powoli…
powoli…
powoli zamknął oczy.

And Sloth slowly…
slowly…
slowly closed his eyes.

– Nie złapiesz mnie, Leniwcu! – zaśmiała się Małpka.

"You can't catch me, Sloth!" Monkey laughed.

Leniwiec przyglądał się Małpce, jak na gałęziach
wywijała piruety i kołysząc się skoczyła między drużyny…

i westchnął.

Sloth watched Monkey spin about on the
branches, swinging off to the team selections…

and sighed.

Szakal uważnie obserwował, jak każde zwierzę starannie przygotowuje się do rozgrywek. Wybrał jednak Małpkę, bo Małpka *zawsze* wygrywała.

Jackal looked on as every creature tried their best. She chose Monkey first as Monkey *always* won.

Nikt nie wybrał Leniwca, bo nie było wyścigów w leniuchowaniu.

Nobody chose Sloth.
There was no race for
hanging about.

Każda z drużyn ciężko pracowała.
Wszyscy naprawdę chcieli być
zwycięzcami dnia sportu w dżungli.

The team
worked hard.
They all really
wanted to win
the jungle
games.

– Będę zwyciężczynią! – zawołała Małpka.
– Nikt mnie nie złapie!
Wszystkie zwierzęta przyglądały się Małpce…
i westchnęły.

"I'm going to win!" called Monkey.
"No one can catch me!"
All the animals watched Monkey… and sighed.

Po długiej, niespokojnej nocy w końcu pojawiło się słońce. A razem z nim nadeszły biorące udział w zawodach drużyny.

Dżungla ożyła sportowymi rozgrywkami.

After a long, restless night the sun finally appeared. And along with it came the competing teams.

The jungle was alive with sport.

Powoli, Leniwiec przesunął
się na inną gałąź, aby oglądać,
jak przewracają się tygrysy,
tukany tańczą tango,
z wysiłku stękają słonie,
a żaby skaczą,

tak   i siak!

Slowly, Sloth moved branch to watch the tigers tumble, the toucans tango, the elephants humph and the frogs hop,

skip   and jump!

W końcu został tylko jeden wyścig.
– To pestka – powiedziała małpka przygotowując się
do niego. – Jestem tak szybka jak wiatr.
I nikt, *mówię nikt,* mnie nie złapie!

Soon there was only one race left.
"It'll be a breeze," said Monkey as he got ready.
"I'm as fast as the wind. No one, *I mean no one*,
can catch me!"

Małpka rozpoczęła wyścig
skacząc z konaru drzewa przez
gałąź chwytając się pnącza,
kołysząc się coraz szybciej.
Wszyscy wiwatowali, kiedy
odległość pomiędzy zawodnikami się   zwiększała.

Monkey raced from bough to branch to vine,
swinging faster and faster.
Everyone cheered as the gap   got   wider.

Małpka skoczyła i złapała się
najwyższej gałęzi na drzewie…

Monkey leapt and grabbed the
highest branch of the tree…

Leniwiec powoli…
   powoli…
      stanął na swojej gałęzi.

Sloth slowly…
   slowly...
      stood up on his branch.

Rozciągnął swoje długie ramiona,
i wtedy...

PLUSK!

He stretched his long arms,
then...

WHOOSH!

Wszyscy radośnie wznosili okrzyki, kiedy Leniwiec *w końcu*
złapał i wyłowił Małpkę!

Everyone cheered as
Sloth *finally* caught
Monkey!

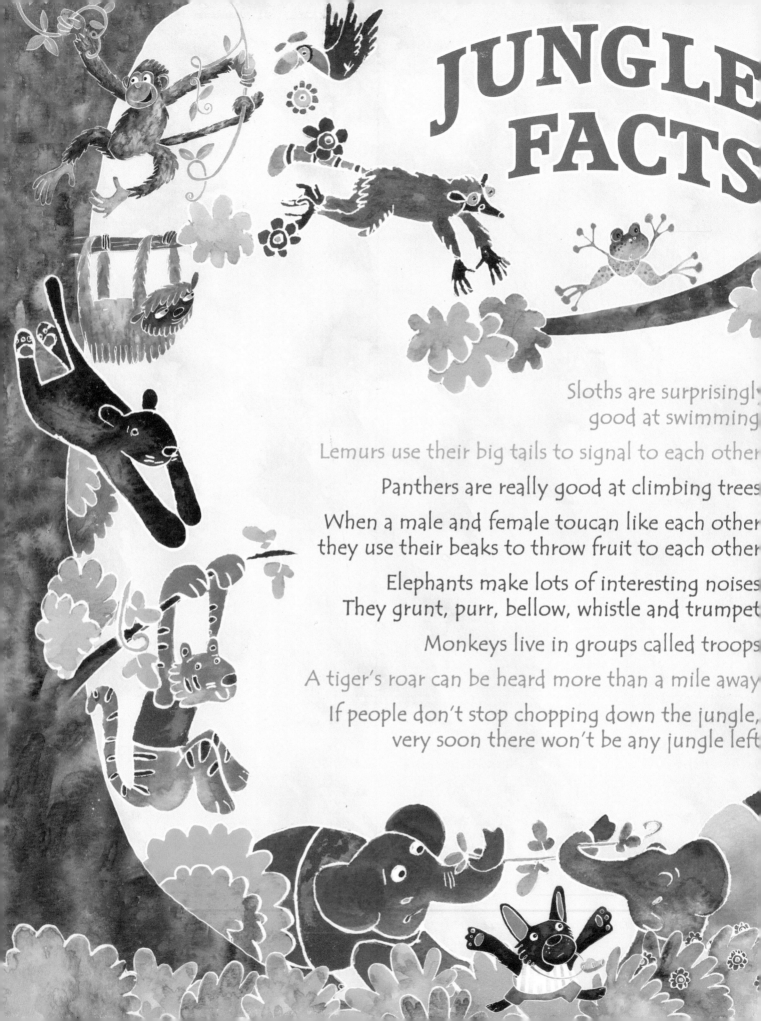

JUNGLE FACTS

Sloths are surprisingly good at swimming

Lemurs use their big tails to signal to each other

Panthers are really good at climbing trees

When a male and female toucan like each other they use their beaks to throw fruit to each other

Elephants make lots of interesting noises. They grunt, purr, bellow, whistle and trumpet

Monkeys live in groups called troops

A tiger's roar can be heard more than a mile away

If people don't stop chopping down the jungle, very soon there won't be any jungle left